i Llŷr

MEWNWR A MASWR
2

Dau Ddewis

Gareth William Jones

℗ Gareth William Jones
Argraffiad cyntaf: Hydref 2004

Dymuna'r cyhoeddwyr gydnabod cymorth
Adrannau Cyngor Llyfrau Cymru.

Rhif Llyfr Safonol Rhyngwladol:
0-86381-931-1

Llun clawr: Keith Morris
Cynllun clawr: Siôn Ilar

Argraffwyd a chyhoeddwyd gan Wasg Carreg Gwalch,
12 Iard yr Orsaf, Llanrwst, Dyffryn Conwy, LL26 0EH.
☎ 01492 642031
🖷 01492 641502
✆ llyfrau@carreg-gwalch.co.uk
Lle ar y we: www.carreg-gwalch.co.uk

1. Bore'r gêm

Roedd hi'n amser brecwast yng nghartref Llion a Llŷr Madog, ac fel pob diwrnod ysgol arall roedd cegin Dôldderwen yn debyg i sgarmes rydd flêr. Eu mam, Nia, a Gwenllian, eu chwaer fach dair a hanner oed, oedd y rhai cyntaf i godi a sefydlu'r sgarmes fel pob bore arall. Roedd Gwenllian yn hapus braf yn chwarae gyda'i bwyd.

"Ydi'r bechgyn wedi codi?" holodd Nia i'w gŵr Ifor wrth iddo syrthio i'r gadair freichiau wrth y ffenest a'i ben mewn biliau roedd newydd eu codi oddi ar y mat ger y drws ffrynt. Chafodd hi ddim ateb.

"Bob bore yr un fath," ochneidiodd Nia Madog, "maen nhw'n siŵr o golli'r bws 'na rhyw fore."

Ar y gair, gwibiodd yr efeilliaid i mewn gan daflu eu bagiau ysgol yn glep ar y llawr.

"O'r diwedd," meddai eu mam gan roi powlenaid yr un o uwd o'u blaenau. "Brysiwch, 'chi'n hwyr."

Llowciodd Llion yr uwd yn awchus ond roedd Llŷr yn chwarae gyda'i lwy.

Un tro pan oedd Tad-cu Llandybïe yn aros gyda nhw roedd wedi awgrymu y dylai chwaraewyr rygbi gael "porej a dou wî" i frecwast ac ers hynny roedd yr efeilliaid wedi dilyn ei gyngor yn weddol reolaidd yn enwedig ar fore gêm – a hynny er gwaetha'r ffaith fod hynny'n cymryd tipyn mwy o amser na bwyta darn o dost a llowcio paned o de. A doeddech chi ddim yn gallu cario powlenaid o uwd gyda chi wrth redeg at y bws chwaith!

Heddiw, gyda gwynt yr hydref yn chwythu'n oer y tu allan, roedd angen powlenaid o uwd i gynhesu'u boliau. Ond doedd fawr o awydd bwyd ar Llŷr gan fod ei fol yn corddi y bore arbennig hwnnw oherwydd heddiw roedd ef a'i frawd yn dechrau eu gêm gyntaf i Ysgol Nant Cadno. Wedi blwyddyn ar y fainc, byddai cyfle heddiw i serennu o'r cychwyn cyntaf, neu wneud llanast o bethau, wrth gwrs.

Cododd Ifor ei ben a rhoi'r biliau o'r neilltu.

"Diwrnod mawr i'r mewnwr a'r maswr heddiw, Nia."

Rhoddodd Nia y ddau wy ar y bwrdd.

"Peidiwch â dechrau siarad am rygbi neu mi gollwch y bws . . . "

Edrychodd y ddau ar ei gilydd a gwenu. Roedd Mam yn dweud hyn bob bore, a phob bore roedden nhw'n siarad am rygbi ac yn llwyddo i ddal y bws. Doedden nhw erioed wedi colli'r bws – ddim unwaith.

Ac yn sicr doedden nhw ddim yn bwriadu ei golli heddiw. Dim heddiw o bob diwrnod, yn enwedig gan fod Ysgol Nant Cadno'n chwarae yn erbyn Ysgol Rhyd-y-meirch. Roedd cyffro ym moliau'r ddau wrth feddwl am y gêm a'r cyfle arbennig i blesio Mr Prydderch, hyfforddwr tîm Blynyddoedd Naw a Deg.

"Faint o'r gloch mae'r gic gyntaf?" gofynnodd eu tad.

"Hanner awr wedi dau," atebodd Llŷr gan orfodi'r llwyaid olaf o uwd i'w geg.

"Wyt ti'n gallu bod yno, Dad?" gofynnodd Llion.

"Na, mae'n wir ddrwg gen i, fechgyn, ond mae'n rhaid imi orffen y gwaith i'r teulu yma o Ffrainc sy newydd symud i mewn i Glasfryn. Mi faswn i wrth fy modd ond . . . 'falla daw Tad-cu i'ch cefnogi."

Roedd Mam-gu a Tad-cu Llandybïe wedi dod i aros am ychydig ddyddiau.

"Byddai hynny'n grêt!" meddai Llion.

"Mae o'n siŵr o ddŵad," ychwanegodd Llŷr.

"Hanner awr wedi dau ddywedoch chi?" gofynnodd eu mam wrth olchi wyneb Gwenllian a honno'n gwingo.

"Ia."

"Odi hynny'n golygu y byddwch chi'n colli gwersi?"

"Dim ond gwers olaf y dydd," atebodd Llion.

"A dim ond Gwyddoniaeth ydi hi," ychwanegodd Llŷr.

"Llŷr! Dim ond Gwyddoniaeth!" gwaeddodd eu mam.

"Un wers yw hi, Nia, paid â phoeni!" meddai eu tad. "Mae hon yn gêm bwysig, cofia."

"Mae'n dishgwl i fi fel 'sa pob gêm yn bwysig i chi'ch tri."

"Cywir!" ebychodd Llion.

"Ond dwi ddim yn hoffi eu bod nhw'n colli gwersi i fynd i chware rygbi, Ifor."

Edrychodd yr efeilliaid ar ei gilydd eto – mewn penbleth y tro hwn. Doedden nhw ddim yn deall o gwbl pam nad oedd eu mam yn gallu gweld pa mor bwysig oedd y gêm iddyn nhw.

"Bore da, bawb." Roedd Mam-gu wedi codi.

"Bore da," atebodd y bechgyn.

"Bore da, 'Gu," gwaeddodd Gwenllian.

"Bore da, 'merch i. Gwynt yr hydref ruai neithiwr, crynai'r dref i'w sail."

Edrychodd yr efeilliaid ar ei gilydd yn syn, a phan drodd Mam-gu ei chefn gwnaeth Llion ystum gyda'i fys wrth ymyl ei ben oedd yn awgrymu fod Mam-gu Llandybïe wedi fflipio.

"Ac mae'r henwr wrthi'n fore'n sgubo'r dail, neu o leiaf fe fydd e os gall e dynnu ei drwyn o'wrth dudalen ôl y *Western Mail*. Ble mae'r brwsh, Ifor?"

"Yn y garej. Ond does dim rhaid i Tad-cu drafferthu."

"Dim o gwbl. Pentwr arall; yna gorffwys."

"Ydach chi'n teimlo'n iawn, Mam-gu?"

gofynnodd Llŷr.

"Teimlo'n iawn, bach? Odw, odw. Pam?"

"Dim byd," atebodd.

"Mam-gu yn sâl," ychwanegodd Gwenllian.

"Mam-gu yn dost? Dim o gwbl. O, mi wela i pam 'chi'n gofyn. Achos 'mod i'n adrodd tamaid o farddoniaeth, ife? Peidiwch â dweud nad 'ych chi erioed wedi clywed 'Dysgub y Dail' gan Crwys o'r blaen. Wel, wel. Beth ar y ddaear maen nhw'n ddysgu i chi yn yr ysgol 'na? Neu, ddim yn ei ddysgu dylen i ddweud."

"Wel, gobeithio eu bod nhw'n dysgu nhw sut i ymdopi â gwynt cryf ar gae rygbi ta beth," meddai Tad-cu wrth iddo ddod trwy'r drws. "Roedd hi'n ofnadw neithiwr a mae hi'n dal yn wyntog. Yn ôl y rhagolygon ar y radio nawr mae hi'n mynd i bara'n wyntog drwy'r dydd."

"Ti a dy hen rygbi, wir, Aneirin. Pam na ddywedi di wrthyn nhw am ganolbwyntio ar eu gwaith ysgol yn lle'r hen rygbi 'na?"

"Ond mae chware rygbi yn rhan o waith ysgol, Gwen fach, a ti'n dipyn o sgolor rygbi dy hunan. Fyddet ti ddim yn colli pnawn Sadwrn o gefnogi Llandybïe. Dim am y byd," atebodd gan roi winc ar y bechgyn.

Gwenodd y ddau. Roedd hi'n gallu bod yn hwyl cael Mam-gu a Tad-cu Llandybïe i aros gyda nhw.

"Odych chi'n barod am y gêm, fechgyn? Odi Mam wedi rhoi uwd a dou wî i chi?"

"Odi, Dad," meddai Nia Madog.

"Faint o'r gloch mae'r gic gyntaf?"

"Hanner awr wedi dau," atebodd Llion.

"Falle 'dawa i draw i'ch gweld chi."

"O wnewch chi?" meddai'r ddau gyda'i gilydd.

"Wedi ichi sgubo'r dail oddi ar yr hewl o flaen y garej, Aneirin," atgoffodd Mam-gu.

"Ie, ie."

"Byddai hynny'n grêt, Tad-cu. Ro'n i'n gobeithio y gallech chi fynd i'w cefnogi," meddai Ifor. "Mi faswn i wrth fy modd yn bod yno ond mae'n rhaid imi orffen peintio'r tŷ dwi'n gweithio arno ar hyn o bryd cyn dydd Gwener."

"Dim problem, Ifor bach. Fydda i'n joio mas draw. Bydd y gwynt yn neud y gêm yn anodd iawn ichi, cofiwch," meddai Tad-cu. "Cofia di, Llŷr, bydd ishe iti, fel maswr, watsho'r gwynt yn ofalus. Cofia di fod yn ymwybodol trwy'r amser o gyfeiriad y gwynt a phaid â thrio cico yn ei erbyn neu fe fyddi di'n siŵr o roi dy ganolwyr mewn picil mowr. Cofia beth dwi wastad yn weud, mae'n well cadw'r meddiant na chico bob tro."

"Chi'n mynd i golli'r bws," meddai Nia Madog unwaith eto. "A chofiwch eich cit rygbi."

Rhuthrodd y ddau allan fel corwynt gan lusgo'u bagiau ar eu holau.

"Gobeithio bydd y ddau'n symud mor glou â 'na prynhawn 'ma," chwarddodd Tad-cu.

Cyrhaeddodd yr efeilliaid safle'r bws yr un pryd

â'r bws. I mewn â nhw ac yn syth i'r cefn i ymuno â Tractor, Milgi, Combein a Peth Dannedd.

Trodd y sgwrs yn syth at gêm y prynhawn.

"Mi glywis i fod gan Rhyd-y-meirch bac cryf ofnadwy y tymor 'ma," meddai Tractor.

"Dim yn rhy gryf i ni," meddai Peth Dannedd.

"Fe enillon nhw o ugain pwynt i dri wythnos diwetha. Pedwar cais!" ychwanegodd Combein.

"Doedd eu ciciwr nhw ddim llawer o beth felly," oedd sylw Llion.

Trodd un o'r merched oedd yn eistedd o'u blaenau atyn nhw.

"Gobeithio y byddwch chi'n ennill, achos mi rydan ni'n mynd i ddŵad i'ch gweld chi pnawn 'ma."

"O? A phwy ydan 'ni' felly?" gofynnodd Combein.

"Ni," atebodd y merched fel parti llefaru.

"Does dim gêm hoci heddiw; mae rhai o ferched Rhyd-y-meirch wedi cael ffliw," ychwanegodd un ohonyn nhw.

"'Drychwn ni ymlaen at eich gweld chi felly. Cofiwch weiddi, a falla'n wir y dysgwch chi rwbath am gêm go iawn!" meddai Tractor.

"Falla mai ni fydd yn rhoi tips i chi ar sut i chwara!" atebodd Megan fel chwip.

"O ia, Megan Haf," meddai Llŷr yn sbeitlyd.

"Ia wir, Llŷr Madog. A falla y bydda i'n rhoi mwy o gyngor i ti na neb."

"Wwww," atebodd y bechgyn fel côr, gan wneud

i Llŷr gochi at ei glustiau. Roedd yn falch iawn o sylwi fod y bws wedi cyrraedd yr ysgol.

* * *

Yn y gwasanaeth cyhoeddodd y prifathro fod Mr Jones yr athro Ymarfer Corff a Mr Prydderch eisiau gweld holl aelodau'r timau rygbi yn y gampfa amser chwarae.

"Sgwrs i roi ysbrydoliaeth i ni," sibrydodd Tractor.

"O ble gafodd Tractor afael ar y gair mawr 'na," sibrydodd un o'r bechgyn gan wneud i sawl un ddechrau chwerthin.

Roedd Tractor yn anghywir beth bynnag. Pwrpas y cyfarfod oedd atgoffa pawb i ofyn am ganiatâd athrawon y wers olaf i gael gadael yn gynnar.

"O, na," meddai Llion, "pregath arall oddi wrth Miss Tomos Test Tiwb."

Roedd y diwrnod hwnnw'n boenus o hir i'r bechgyn. Gallai hanner awr wedi dau ddim dod yn ddigon cyflym. Roedd Llion yn iawn, fe gawson nhw bregeth gan Miss Tomos Gwyddoniaeth. Doedd hi ddim yn hapus o gwbl fod ei disgyblion yn colli ei gwersi, yn enwedig i fynd i chwarae rygbi.

"Rygbi eto!" oedd ei hymateb pan ofynnodd y bechgyn iddi amser egwyl y bore am eu rhyddhau'n gynnar.

"Mi ga i weld. Mae'n dibynnu sut y byddwch chi'n ymddwyn."

"Ond, miss," dechreuodd Combein, ac yna "aw . . . !"

"Ond beth?" holodd Miss Tomos.

"Dim byd, miss." Roedd newydd deimlo dwrn Llion yn ei gefn ac wedi deall y neges i fod yn dawel.

"Iawn, ffwrdd â chi, felly."

"Dach chi'm yn meddwl y bydda'r hen gloman yn cadw ni rhag chwara ydach chi bois?" gofynnodd Tractor yn bryderus wedi iddyn nhw fynd allan o'i chlyw.

"Na, dim o gwbl, licio swnio'n fòs ar bawb mae hi," oedd barn Llŷr.

"Dydw i ddim mor siŵr. Mi allai hi, cofiwch," meddai Llion.

"Tractor, gwna'n siŵr dy fod ti'n byhafio," rhybuddiodd Combein.

"Pam fi, Combein? Byhafia di dy hunan, y lembo."

"Dwi *yn* byhafio, diolch yn fawr."

"Ers pryd felly, Combein?"

"Dwi'n byhafio'n well na ti beth bynnag."

"Ti'n gofyn amdani, mêt."

A dechreuodd y ddau ymladd.

"O, ardderchog, bois. Cariwch ymlaen fel hyn ac mi wnewch chi'n siŵr na welwn ni mo'r gêm."

Peidiodd y ddau yn syth bìn.

"Sori, Llion."

2. Y gêm gyfan gyntaf

Roedd y bechgyn ar eu gorau drwy'r dydd. Yn wir, roedd Wili Hafal, yr athro Mathemateg, wedi gofyn i Llŷr a oedd yn teimlo'n sâl.

"Poen yn ei fol, syr," atebodd Combein cyn i Llŷr gael cyfle i'w ateb. "Ei fol o'n llawn o bilipalod."

Roedd yr athro'n edrych yn syn arno.

"Poeni am y gêm y pnawn 'ma mae o, syr," eglurodd Tractor wedyn.

"Nac ydw, syr, peidiwch â gwrando arnyn nhw," meddai Llŷr.

"Wel, elli di ddim ond gwneud dy ora Llŷr."

"Ond dydw i ddim yn poeni, syr, wir."

Ond y gwir oedd fod Combein a Tractor yn llygad eu lle; roedd Llŷr a Llion ill dau ar bigau'r drain ynglŷn â'r gêm.

O'r diwedd daeth yn amser i'r wers olaf, a chyn mynd i mewn casglodd Geraint y bechgyn at ei gilydd.

"Cofiwch fod ar eich gora, hogia, rhag ofn i Tomos Test Tiwb beidio gadael i ni fynd yn gynnar."

"Feiddiai hi ddim!" ebychodd Tractor.

"Paid ti â bod mor siŵr, a gofala nad wyt ti ddim yn rhoi rheswm i ni ffeindio allan."

"Fi eto!" cwynodd Tractor.

Cerddodd y criw i mewn fel angylion ac eistedd yn dawel heb siw na miw. Edrychodd Miss Tomos yn syn arnyn nhw.

"Wel, wir, falla y dylan ni gael gêm rygbi bob dydd yn dylan, ferched?" awgrymodd yr athrawes, a gwên fach ar ei hwyneb.

Nid un o'r merched atebodd ond Tractor. "Mi fasa hynny'n — "

Ond ni chafodd Tractor orffen ei frawddeg. Roedd wedi cael cic yn ei goes o dan y ddesg ac wedi penderfynu cau ei geg yn glep.

"Rŵan cofiwch chi fechgyn sy'n mynd i chwarae rygbi eich bod yn holi'r rhai sydd ar ôl beth wnaethon ni yn ystod gweddill y wers, ac yn enwedig am y dasg fydda i'n ei gosod yn waith cartref."

"Iawn, Miss Tomos," meddai'r côr o angylion.

Wnaeth y bechgyn erioed gymryd gymaint o ddiddordeb yn yr hyn roedd gan Miss Tomos i'w ddweud. Roedd fel petai pob gair a ddeuai allan o'i cheg yn berl bob un. Ac fe gadwodd hithau at ei gair a gadael iddyn nhw fynd yn gynnar, ond nid cyn eu hatgoffa i holi ynglŷn â'r gwaith cartref.

"Hy! Dim ond Gwyddoniaeth sydd ar feddwl honna," meddai Tractor dan ei wynt wrth iddyn nhw gerdded lawr y coridor tuag at y stafelloedd newid. "Gallai'r sguthan fod wedi dymuno pob lwc i ni, yn gallai?"

"Does gan ferched ddim diddordeb mewn rygbi, siŵr, a beth bynnag, dydan ni ddim angen lwc," meddai Combein. "Mi ro'n ni gweir iddyn nhw!"

Byddai Llŷr wedi hoffi cytuno ond doedd o ddim mor hyderus â Combein. Roedd wedi clywed fod tîm Blynyddoedd Naw a Deg Ysgol Rhyd-y-meirch yn un da eleni a bob tro byddai'n cofio am hynny byddai ei fol yn corddi unwaith eto.

Pan gyrhaeddon nhw y stafell newid roedd tîm cyntaf ysgol Nant Cadno yno'n barod ac wrthi'n newid.

"Gofalwch nad ydach chi'n gadael yr ysgol i lawr pnawn 'ma, bois," meddai un ohonyn nhw. "Mae tîm Blynyddoedd Naw a Deg wedi curo Rhyd-y-meirch bob tro ers tri thymor. Pwy sy'n chwara maswr?"

Ochneidiodd Llŷr.

"Fi," atebodd yn wanllyd.

"Cofia di, Llŷr Madog, dy fod ti'n dilyn rhywun arbennig o dda a bod tipyn o gyfrifoldeb ar dy sgwydda di."

"Mi wna i 'ngora," meddai Llŷr.

Pen mawr, meddyliodd Llion gan wybod yn iawn mai'r bachgen oedd yn siarad oedd maswr tîm Blynyddoedd Naw a Deg y llynedd.

Roedd y gwynt yn chwythu'n gryf o un pen o'r cae i'r llall pan redon nhw allan. Siglai'r pyst fel dau welltyn. Rhyd-y-meirch enillodd yr hawl i ddewis ochr, a dewisodd eu capten chwarae gyda'r gwynt i ddechrau.

Roedd hi'n amlwg o'r cychwyn cyntaf fod y gwynt yn mynd i wneud pethau'n anodd, a bod maswr Ysgol Rhyd-y-meirch yn mynd i gymryd pob mantais o'r gwynt cryf wrth ei gefn.

Yn anffodus, doedd Ysgol Nant Cadno ddim yn cael fawr o hwyl yn y leiniau chwaith oherwydd y Bendigeidfran o fachgen yn llinell Rhyd-y-meirch oedd yn gwneud i Mor-Mor hyd yn oed edrych fel corrach. Felly ychydig iawn o feddiant gawson nhw drwy'r hanner cyntaf. Fuon nhw ddim allan o'u hanner mwy na phum munud ar y tro. Roedd Ysgol Rhyd-y-meirch yn rheoli popeth drwy gicio am y lein, ennill y leiniau a bwydo'r bêl allan i'r asgell. Doedd dim syndod i neb eu bod nhw ar y blaen o ugain pwynt i ddim erbyn i'r canolwr chwythu ei chwiban ar yr hanner.

Aeth y bechgyn i'w cornel i nôl eu horennau gyda'u pennau'n isel. Wedi iddo gael sgwrs sydyn ag un neu ddau o gefnogwyr Nant Cadno, carlamodd Mr Prydderch draw atynt a'u cael i ffurfio cylch o'i gwmpas. Newydd gyrraedd o'i wers olaf oedd yr athro i weld ei dîm yn ildio cais rhwydd. Cafodd wybod y sgôr gan un o gefnogwyr hapus Rhyd-y-meirch. Aeth ati'n syth i geisio codi eu calonnau.

"Yn ôl y sôn, mae'r gwynt wedi bod gyda nhw

drwy'r hanner cyntaf ond mi fydd wrth eich cefnau chi o hyn ymlaen. Cofiwch hynny. Mae'n amlwg hefyd mai'r dacteg ydi bwydo'r cawr 'na yn y llinell a chael y bêl allan i'w cefnwr chwith cyflym. Felly tafla'r bêl yn fyr, Gareth, a Llion, symuda di'r bêl yn gyflymach o'r ryciau. Peidiwch chi â cholli calon. Daliwch i gredu, taclwch yn isel ac yn galed, yn enwedig y bachgen 'na ar yr asgell."

"Ma' gormod o gico'n 'strywo'r gêm!" gwaeddodd Tad-cu yn ddigon uchel i athro Ysgol Rhyd-y-meirch glywed.

Dechreuodd yr ail hanner a daliodd y gwynt gic gyntaf maswr Ysgol Rhyd-y-meirch yn hongian yn yr awyr gan roi cyfle i flaenwyr Nant Cadno gyrraedd wrth iddi ddisgyn i'r llawr. Mor-Mor oedd y cyntaf i gyrraedd a gosod ryc. Daeth y bêl allan yn gyflym a rhoddodd Llion bàs berffaith i ddwylo ei efaill. Gwelodd hwnnw fwlch bychan a rhuthrodd drwyddo gan adael amddiffyn Rhyd-y-meirch yn stond. Rhedodd Llŷr nerth ei draed am y llinell gais ond tua wyth metr o'r llinell daliwyd ef gan gefnwr Rhyd-y-meirch a'i lorio â thacl berffaith o gwmpas ei goesau.

Gollyngodd Llŷr y bêl a rowliodd honno ymlaen ond trwy lwc un o chwaraewyr Nant Cadno, Arthur, oedd y cyntaf i gyrraedd. Syrthiodd hwnnw arni a'i gosod yn ôl i Llion. Pàs arall fel bwled at ei frawd a daliodd Llŷr hi'n lân. Ochrgamodd y cefnwr a rhedodd o dan y pyst am ei gais cyntaf i dîm

Blynyddoedd Naw a Deg!

Wrth osod y bêl yn ofalus, clywodd Llŷr lais Tad-cu o'r asgell.

"Defnyddia'r gwynt, Llŷr!" Ac yna, "Ma'r bachgen 'na'n ŵyr i fi chi'n gwbod."

Gwenodd Llŷr. Edrychodd ar y pyst. Camodd yn ôl. Ymestynnodd ei freichiau o'i flaen. Yna symud at y bêl a'i chicio.

Edrychodd arni'n codi a gweld ei bod hi braidd yn isel. Ond yna, cipiodd y gwynt hi a'i chodi'n gyfforddus dros y trawst a rhwng y pyst.

Dechrau ardderchog i'r ail hanner.

Ailgychwynnodd y gêm â chic anniben arall oddi wrth maswr Rhyd-y-meirch, a manteisiodd bechgyn Nant Cadno ar ei fethiant unwaith eto. Y tro hwn cadwodd y pac y bêl yn dynn gan ennill tir yn araf bach. Yna, o fewn cyrraedd i'r llinell taflodd Llion y bêl i'w frawd a llamodd hwnnw fel dolffin dros y llinell am ei ail gais.

Cododd i'w draed yn gwenu fel giât.

"Da iawn, Llŷr," gwaeddodd llais merch.

Roedd Megan wedi cadw at ei gair ac roedd hi a'i ffrindiau'n chwifio'u breichiau'n wyllt. Oni bai fod ei wyneb yn fflamgoch yn barod byddai Llŷr wedi cochi pan glywodd ei llais.

Gosododd y bêl ar gyfer y trosiad. Roedd hi'n mynd i fod yn gic anodd. Roedd hi'n agos i'r ystlys ac roedd hi'n amhosibl gwybod beth fyddai'r gwynt yn ei wneud i'r bêl unwaith y byddai yn yr awyr.

Edrychodd Llŷr ar y pyst. Camodd yn ôl. Ymestynnodd ei freichiau o'i flaen. Yna symud at y bêl a'i chicio. Cydiodd y gwynt ynddi a'i chwythu ymhell i'r cyfeiriad anghywir. Clywodd siom cefnogwyr Nant Cadno a hwrê fawr gan gefnogwyr Rhyd-y-meirch.

Roedd ailddechrau maswr Rhyd-y-meirch yn well y tro hwn, ac am y chwarter awr nesaf roedd y gêm yn weddol gyfartal.

Yna, cafodd Rhyd-y-meirch sgrym yng nghanol y cae. Roedd y ddau bac tua'r un pwysau ac roedd tipyn o wthio yn ôl ac ymlaen. Llwyddodd Tractor i gael y bêl allan yn erbyn y pen. Chwipiodd Llion y bêl at Llŷr a rhedodd yntau ymlaen a gosod sgarmes. Roedd Llion yno eto i'w gefnogi. Cydiodd yn y bêl a'i thaflu i Combein a does fawr neb yn gallu gwrthsefyll Combein pan fydd o'n dechrau symud i lawr y cae. Enillodd cryn dipyn o dir a gosod y bêl yn daclus i Llion a ddadlwythodd hi i Llŷr.

Gwelodd Llŷr hanner cyfle gan gicio'r bêl y tu hwnt i amddiffyn Rhyd-y-meirch ac roedd Llion wedi darllen meddwl ei efaill yn berffaith. Roedd oddi tani cyn iddi lanio a rhedodd am y llinell am ei gais cyntaf ef i dîm Blynyddoedd Naw a Deg. Cofleidiodd y ddau frawd ei gilydd mewn llawenydd.

Trosodd Llŷr y cais i ddod â'r sgôr yn gyfartal.

Roedd y deng munud olaf yn annioddefol i Tad-cu, y merched a Mr Prydderch.

Daliodd Rhyd-y-meirch eu tir yn styfnig a methodd Nant Cadno sgorio er iddyn nhw ddod yn agos deirgwaith. Yna tro Nant Cadno oedd hi i gael help llaw gan y gwynt. Fe welodd maswr Rhyd-y-meirch druan dair cic gosb yn methu â chyrraedd y pyst oherwydd nerth y gwynt. Ond munud yn unig cyn y chwiban fe ddaeth cais gorau'r gêm. Ffrwydrodd Combein trwy dacl yng nghanol y cae a chododd Llion y bêl a'i chwipio allan i Llŷr. Ochrgamodd hwnnw ddwywaith a gallai fod wedi sgorio ei hun ond penderfynodd basio i'w frawd, a sgoriodd hwnnw yn y gornel. Dau gais yr un i'r brodyr.

Gosododd Llŷr y bêl yn ofalus. Edrychodd ar y pyst. Camodd yn ôl. Ymestynnodd ei freichiau o'i flaen. Yna symud at y bêl a'i chicio. Roedd y bêl yn anelu am y pyst ond yn sydyn gwyrodd i'r dde. Bwriodd un o'r pyst a throdd Llŷr i ffwrdd yn siomedig ond yna clywodd y waedd. Roedd y gwynt wedi cydio ynddi a'i chwythu rhwng y pyst. Eiliad wedyn chwythodd y canolwr ei chwiban i ddod â'r gêm i ben.

Roedd Nant Cadno wedi ennill, a'r bartneriaeth rhwng y maswr a'r mewnwr wedi gwneud cryn argraff ar bawb oedd yn gwylio. Codwyd Llŷr ar ysgwyddau Combein a Tractor. Ond nid dyna ei wobr fwyaf. Pan ddisgynnodd oddi ar eu hysgwyddau roedd Megan yn aros amdano a rhoddodd glamp o gusan iddo.

Gwaeddodd pawb "Hwrê!"

Cochodd Llŷr at ei glustiau.

Roedd pawb yn rhy brysur yn dathlu i sylwi ar y dyn dieithr yn y dorf oedd wrthi'n cymryd nodiadau.

3. Penderfyniad anodd

Y gêm yn erbyn Ysgol Rhyd-y-meirch oedd yr unig destun siarad ar y bws drannoeth. Fe gafodd Llŷr wên arbennig gan Megan cyn gynted iddo'i gweld. Gwenodd yn ôl ac yna rhoi pwniad i Tractor oedd yn gwneud ystumiau mawr a synau cusanu uchel.

"Wnaethoch chi fwynhau'r gêm, genod?" gofynnodd Combein.

"Do wir," atebodd Angharad, "yn enwedig Megan." Chwarddodd pawb. Cochodd Llŷr.

"Oeddech chi'n dallt digon ar y gêm i'w mwynhau?" holodd Tractor yn sbeitlyd.

"Digon i wybod dy fod ti'n cael cosfa yn y sgrym yn yr hanner cyntaf, Tractor!" atebodd Llinos fel chwip.

Chwarddodd pawb ond Tractor; crychu ei drwyn wnaeth hwnnw.

"Ond Megan ydi'r arbenigwraig," meddai Angharad. "Mae Megan yn gwybod lot am rygbi, on'd wyt ti, Megan? Mae'i mam hi'n chwara i dîm merched Bangor."

"Paid â phalu celwydda," gwawdiodd Tractor.

"Wir yr," mynnodd Angharad. "Deud ti wrthyn nhw, Megan."

"Dydi hi ddim yn deud celwydd. Ydi, mae Mam yn chwara i Ferched Bangor, ond mae hi'n rhoi'r gora iddi eleni. Wedi mynd yn rhy hen, meddai hi. Mae hi'n dri deg pump."

"Dyna pam nath Dad roi'r gora iddi llynadd," meddai Llion.

"Fo sy'n hyfforddi Cenawon Nant Cadno rŵan," ychwanegodd Llŷr. "Falla basa dy fam yn hoffi ei helpu fo weithia."

"W . . . w . . . w . . . " meddai Tractor.

"Dydan ni ddim isio dynas yn ein hyfforddi ni, siŵr," meddai Combein. "Sori, Megan. Dim byd yn erbyn dy fam," ychwanegodd yn gyflym.

"Dim problem, Combein. Fasa hi ddim yn derbyn beth bynnag achos mae hi'n bwriadu dechra tîm merched yn y Nant."

"Tîm merched? Falla caiff Tractor gêm iddyn nhw," bloeddiodd Combein.

Dechreuodd Tractor a Combein ymladd fel arfer.

"O rhowch gora iddi, blant bach," meddai Angharad, ond wnaethon nhw ddim. Hynny yw, hyd nes y dechreuodd Llion siarad am y gêm eto, ac am weddill y daith i'r ysgol cafwyd blas ar ailfyw campau ail hanner y gêm yn erbyn Rhyd-y-meirch. Roedd ceisiau Nant Cadno yn mynd yn fwy gwych gyda phob disgrifiad. Yn gyfleus iawn, anghofiwyd am hanner cyntaf y gêm.

Ond ar ôl ysgol yn y sesiwn ymarfer gyda Mr Prydderch chawson nhw ddim cyfle i anghofio, a thrafodwyd yr hanner cyntaf yn drwyadl. Roedd yr athro'n hapus iawn gyda chanlyniad y gêm, wrth gwrs, ond roedd yn siomedig iawn i glywed am y llu o gamgymeriadau a wnaed yn yr hanner cyntaf a sut y caniatawyd i Rhyd-y-meirch reoli'r gêm.

Wedi gorffen dadansoddi'r gêm ac edrych ymlaen at y gêm nesaf roedd gan Mr Prydderch newyddion pwysig i'r bechgyn.

"Wnes i ddim dweud wrthoch chi cyn y gêm ddoe, rhag ofn i'r wybodaeth effeithio ar eich chwarae, ond roedd hyfforddwr tîm y sir yn bresennol brynhawn ddoe ac mae gen i newyddion da iawn i rai ohonoch chi."

Closiodd y bechgyn yn nes.

"Mi ofynnodd am air efo Mr Jones a minnau ar ôl y gêm ac roedd wedi ei blesio'n fawr. Mi wnaethoch chi argraff fawr arno yn yr ail hanner ac o ganlyniad mi hoffai dy weld ti Llion, Llŷr, a tithau Geraint, yn y treialon ar gyfer tîm y sir."

"Iiieee!" gwaeddodd pawb fel côr. Roedd pawb wrth eu bodd hyd nes clywed pryd roedd y treialon i'w cynnal.

"Felly, gobeithio nad oes gan y tri ohonoch chi ddim byd ymlaen wythnos i Sadwrn nesaf," meddai Mr Prydderch.

"Pryd?" holodd Llion.

"Wythnos i ddydd Sadwrn ar gaeau Ysgol Rhyd-y-meirch."

"O na!" meddai pawb eto fel côr.

"Beth sy'n bod?"

"Mae gan Cenawon Nant Cadno gêm gwpan y diwrnod hwnnw, syr, yn erbyn Morloi Abermoresg," meddai Llion.

"Wel bydd rhaid i'r Cenawon wneud hebddoch chi y diwrnod hwnnw," meddai Mr Jones yn gadarn. "Mi fydd dy dad yn deall yn iawn. Mi fydd wrth ei fodd bod ei ddau fab wedi eu dewis i fynd i dreialon tîm y sir ac mi fydd yn fodlon iawn chwilio am rai i lenwi'r bwlch dwi'n siŵr."

Doedd Llion a Llŷr ddim mor siŵr; haws dweud na gwneud. Roedd hi'n anodd casglu tîm at ei gilydd a doedden hwythau ddim am wneud pethau'n anodd i weddill y Cenawon. Roedd y Cenawon yn agos at eu calonnau a byddai colli tri aelod o dîm y pentre yn glec.

Roedd Mr Prydderch ei hun yn chwarae i dîm oedolion Nant Cadno ac yn gwybod pa mor bwysig oedd cael tîm cryf yn erbyn Morloi Abermoresg, yn enwedig ar ôl y twrnameint y llynedd. Byddai'r Morloi yn sicr o roi eu tîm cryfaf allan er mwyn dial am gael eu curo o un cais y tro diwethaf.

"Meddyliwch yn ofalus dros y peth, fechgyn. Mae hwn yn gyfle ardderchog ond mi wn i hefyd faint mae'r Cenawon yn ei olygu ichi. Drychwch, does dim rhaid ichi benderfynu heddiw a'ch dewis chi fydd o wedi'r cwbl."

Roedd yn ddewis anodd i'r efeilliaid. Roedd y ddau'n sylweddoli bod y cyfle o gael eich dewis i'r sir yn gyfle arbennig ond roedd chwarae i'r Cenawon yn bwysig hefyd, yn enwedig yn erbyn Abermoresg.

Aeth y ddau adref y prynhawn hwnnw yn llawn teimladau cymysg iawn. Beth fyddai ymateb eu tad, tybed? Byddai'n siŵr o fod yn falch iawn o'r ffaith bod hyfforddwr y sir yn ystyried rhoi lle iddyn nhw yn y tîm ond byddai'n siomedig iawn hefyd o'u colli ar gyfer tîm y Cenawon, yn enwedig gan fod y Cenawon yn dechrau cydchwarae'n dda ac wedi cael dechrau ardderchog i'r tymor.

Pan glywodd Tad-cu Llandybïe y newyddion am y treialon roedd wedi cyffroi ac am fynd allan y munud hwnnw i brynu anrheg i'r ddau.

"Wedes i llynedd y byddech chi ddim yn hir cyn cael eich lle yn nhîm yr ysgol ond feddylies i byth y byddech chi'n cael eich ystyried ar gyfer tîm y sir mor glou â hyn. Trueni na fydden i yma i'ch gweld chi ond mae'n rhaid mynd sha thre mae arna i ofan. Ond da iawn chi. Ardderchog ontife, Ifor?"

"Ie, da iawn chi. Pryd mae'r treialon? Bydd rhaid imi wneud yn siŵr na fydda i'n colli'r rheiny ta beth, yn enwedig gan na fydd Tad-cu yma," meddai'u tad yn frwdfrydig.

"Mae 'na broblem, Dad," meddai Llion.

"O?"

Wythnos i'r Sadwrn nesaf maen nhw,"

ychwanegodd Llŷr.

"O, wela i," atebodd Ifor Madog gan geisio cuddio'i siom.

"Ia, yn hollol."

"Wel mae'n rhaid ichi fynd, wrth gwrs," meddai Ifor wedyn.

"Beth sy'n bod?" gofynnodd Tad-cu.

"Mae gan y Cenawon gêm yn erbyn Morloi Abermoresg y dydd Sadwrn hwnnw," atebodd Llŷr.

"Allwch chi ddim aildrefnu honno?" holodd Tad-cu.

"Mae hi'n anodd iawn aildrefnu gêmau ac mae'r prifathro 'na sy'n hyfforddi'r Morloi yn foi anodd," meddai Ifor.

"Awn ni ddim i'r treialon felly," meddai Llion.

"Na, awn ni ddim," meddai Llŷr hefyd yn bendant.

"Na, mae'n rhaid ichi fynd. Ac mae'n rhaid i Geraint fynd hefyd. Mi chwiliwn ni am rai i lenwi'r bwlch."

"Ond pwy?"

"Bydd rhaid ichi holi yn yr ysgol," meddai'u tad.

Edrychodd y ddau ar ei gilydd a chodi eu hysgwyddau mewn anobaith.

"Bydd gan Abermoresg fechgyn yn y treialon hefyd a byddan nhw'n siŵr o fod yn fodlon aildrefnu, gewch chi weld," dywedodd Tad-cu yn obeithiol.

Doedd ond gobeithio y byddai hynny'n wir,

meddyliodd Ifor Madog, oherwydd roedd hi wedi bod yn anodd iawn codi tîm cyson gyda chynifer o alwadau ar y bechgyn.

Galwodd Nia Madog bawb at y bwrdd i gael swper gyda'r rhybudd i beidio â siarad am rygbi o hyd.

"Oedd rhywbeth arall heblaw rygbi yn digwydd yn yr ysgol tybed, fel gwaith falle?" gofynnodd.

"Oedd, mi wnaeth rhywbeth diddorol iawn ddigwydd," atebodd Llion, a golwg ddireidus ar ei wyneb.

"Beth felly?"

Aeth ati i sôn am y merched fu'n gwylio'r gêm a phrepio bod un yn ffansïo Llŷr. Ceisiodd Llŷr beidio cochi ond teimlai'r gwres yn codi er ei waethaf. Meddyliodd y byddai'n rhoi unrhyw beth i reoli'r hen gochi ofnadwy oedd yn digwydd mor aml yn ddiweddar.

"A beth yw ei henw hi, Llŷr?" holodd Mam-gu.

"Megan," atebodd Llion yn chwim, gan wybod na fyddai Llŷr yn ateb.

"Cau dy geg, Llion," chwyrnodd Llŷr.

Ond doedd Llion ddim am gau ei geg.

"Mae'i mam yn chwara i Ferched Bangor ond yn rhoi gora iddi leni. A wyddoch chi beth?"

"Beth?"

"Roedd Llŷr am iddi ddŵad i helpu Dad efo'r Cenawon. Unrhyw esgus i ddod yn fwy o ffrindia efo Megan chi'n gweld."

Dechreuodd Llŷr ddyrnu braich ei frawd.

"Hogia drwg," meddai Gwenllian fach.

"Ie, ti'n iawn, Gwenllian. Bechgyn drwg iawn. Reit, dyna ddigon, Llion, A tithau, Llŷr," meddai'r fam. "Dwed wrthyn nhw, Ifor."

"Ia, rhowch gorau iddi hogia a gwrandewch. Mae gen innau newyddion diddorol i chitha."

Peidiodd y bechgyn.

"Dach chi'n gwybod y tŷ rydw i wrthi'n ei beintio ar y funud?"

"Ia."

"Wel, fel roeddwn i'n dweud bora 'ma, mae'r teulu sy wedi'i brynu yn dod o Ffrainc. Mae'r tad wedi dod i weithio i'r ffatri awyrennau ger Caer. Mae gynnon nhw ddau o blant ac mae'r bachgen yr un oed â chi."

"Ydi o'n gallu chwara rygbi?" holodd Llion.

"Ydi mae o. Mi welis i bêl rygbi yn y garej felly mi holais i o. Robert ydi ei enw fo ac mi roedd yn chwara i dîm ei ysgol. Maen nhw'n dŵad o dref ger Toulouse."

"Toulouse?" holodd Tad-cu.

"Ia, pam, ydach chi wedi bod yno, Da-cu?"

"Na'dw, ond ma' Toulouse wedi ennill Cwpan Ewrop, fachan. Tîm ardderchog sy wastad yn rhoi amser caled i dîm y sosban," atebodd Tad-cu.

"Pa safle mae o'n chwara?" holodd Llŷr.

"Maswr, dwi'n meddwl."

"O," meddai Llŷr.

"Ond mae o wedi chwara yn y cefn ac yn y canol hefyd ac fel mae Tad-cu yn dweud mae o'n sicr o fod yn chwaraewr eitha da yn dŵad o ardal Toulouse. Roedd ganddo ddiddordeb mawr pan glywodd o am y Cenawon. Da iawn, yntê?"

"Ia," atebodd y bechgyn heb unrhyw frwdfrydedd.

* * *

Y noson honno yn eu gwelyau roedd gan Llion a Llŷr lawer i'w drafod. Beth i'w wneud ynglŷn â'r treialon oedd un o'r pynciau trafod a'r llall oedd y Ffrancwr Robert. Roedd cael y cyfle i chwarae i'r sir yn gyfle a hanner ond byddai gadael Cenawon Nant Cadno i lawr yn anfaddeuol, yn enwedig ar ôl y dechrau ardderchog gawson nhw i'r tymor. A faint o gystadleuaeth, tybed, fyddai'r bachgen newydd o ardal Toulouse? Cyn mynd i gysgu roedd un cwestiwn bach arall yr oedd Llion am gael ateb iddo.

"Llŷr?"

"Ia?"

"Wyt ti'n ffansïo Megan?"

"Mindia dy fusnas!"

4. Y Cenawon ynteu'r treialon?

"Mae hi'n rhyfedd bod yn hapus ac yn drist yr un pryd, yn tydi?" Llion oedd yn siarad, dau ddiwrnod ar ôl iddynt glywed eu bod wedi cael eu dewis ar gyfer treialon y sir.

"Ydi," atebodd Llŷr. Roedd o'n gwybod yn iawn beth oedd ar feddwl ei frawd.

Roedd y ddau mor hapus eu bod wedi cael eu dewis i'r treialon a hynny reit ar ddechrau'u tymor llawn cyntaf. Ond roedd y ddau'n drist hefyd oherwydd eu bod yn gorfod dewis rhwng hynny a chwarae i'r Cenawon. Roedd y ddau wedi dweud wrth eu tad na fydden nhw'n mynd i'r treialon ac y bydden nhw'n dewis chwarae i'r Cenawon, ond yn ddistaw bach roedden nhw'n gobeithio y byddai Ifor yn gallu aildrefnu gêm y Cenawon.

Roedd teimladau'r ddau yn cael eu rhwygo rhwng eisiau'r cyfle i gynrychioli'r sir ar y naill law a phoeni am wneud pethau'n anodd i'r Cenawon ar y llaw arall. Roedd Mr Jones yr athro Ymarfer Corff yn dal i ddweud yn bendant y dylen nhw fynd i'r treialon a phe na fydden nhw'n mynd y bydden nhw'n siomi'r ysgol yn fawr. Ar y llaw arall, roedd Combein, Tractor a gweddill y Cenawon yn sicr o'r farn na ddylen nhw fynd a gadael y Cenawon yn y baw.

"Dach chi'm 'di chwara fawr ddim i dîm yr ysgol beth bynnag. Efo hogia mwy profiadol o gwmpas, go brin y cewch chi'ch dewis," oedd sylw angharedig Tractor. "Mae'n wastraff amser mynd."

"Diolch, Tractor, mêt!" atebodd Llion yn flin. Am funud roedd arno awydd mynd i'r treialon dim ond i ddial ar Tractor.

Siomi'r ysgol ynteu gadael y Cenawon yn y baw – roedd y dewis yn un anodd.

Sylwodd y brodyr fod pawb ond eu cyd-Genawon wedi curo dwylo'n wyllt pan gyhoeddodd y prifathro yn y gwasanaeth fod aelodau o dri thîm rygbi'r ysgol wedi eu dewis ar gyfer treialon y sir. Rhyw guro dwylo gwan iawn wnaeth eu cyd-Genawon. A phwy allai eu beio nhw? Wedi'r cwbl, gallai llwyddiant Geraint a'r efeilliaid olygu methiant i'r gweddill – a hynny mewn gêm gwpan bwysig yn erbyn Morloi Abermoresg o bawb.

Doedd y ffaith fod Megan wedi ei longyfarch wrth fynd allan o'r neuadd ar ôl y gwasanaeth wedi bod fawr o gysur i Llŷr chwaith.

Bob nos ar ôl mynd i'r gwely a diffodd y golau byddai'r ddau frawd yn trafod y sefyllfa ac yn ceisio meddwl am gynllun i ddatrys y broblem.

"Wn i," sibrydodd Llŷr am y degfed tro un noson.

"Pa gynllun amhosib sydd gen ti rŵan eto?" atebodd Llion yn gysglyd.

"Beth am i un ohonon ni fynd i'r treialon a'r llall i fynd efo'r Cenawon, wedyn mi fydd o leia un ohonon ni'n cael cyfle i gynrychioli'r sir ac mi fydd y llall wedi helpu'r Cenawon."

"A sut ydan ni'n penderfynu pa un sy'n mynd i ble felly?"

"Darn deg ceiniog. Pen neu gynffon?"

"Dwn i ddim."

"Pam?"

"Achos mai partneriaeth ydan ni," meddai Llion. "Mewnwr a Maswr. Llaw a maneg. Na. Mae'n rhaid i ni ddewis rhwng y treialon a gêm Abermoresg.

Tawelodd y ddau.

"Os na ddaw 'na rywbeth neu rywun i'n helpu," meddai Llŷr.

"Cer i gysgu wnei di?"

* * *

Bore dydd Llun, ar ganol y wers Fathemateg, agorodd y drws a daeth y prifathro i mewn a bachgen dieithr yn ei ddilyn. Cyflwynodd y prifathro'r bachgen pryd tywyll i'r dosbarth.

"Dyma Robert. Nid Robyrt na Robat, sylwch, ond Robeeerrr. Oherwydd mae Robert wedi dod i fyw aton ni yr holl ffordd o Toulouse. Pwy sy'n gwybod ble mae Toulouse?"

Saethodd braich Angharad i'r awyr.

"Ia, Angharad?"

"Ffrainc, syr."

"Da iawn, Angharad. Ia, Ffrainc."

Gwenai Angharad yn hunanfodlon. Ffurfiodd Combein y gair 'swot' ond heb i unrhyw sŵn ddod allan o'i geg. Tynnodd Tractor ei dafod arni'n slei.

"I fod yn fanwl gywir, yn ne Ffrainc mae Toulouse, sy'n bell iawn, wrth gwrs, o Nant Cadno 'ma. Mae hi'n ddinas fawr ac yn enwog am adeiladu awyrennau – ac am ei thîm rygbi, wrth gwrs."

Mae athrawon wrth eu bodd yn mynd ymlaen ac ymlaen er mwyn dangos eu gwybodaeth, meddyliodd Llion.

"Mae Robert yn bell oddi cartref," meddai'r prifathro, "felly rhowch groeso cynnes iddo a gwnewch eich gorau glas i'w helpu i ymgartrefu yn yr ardal hon."

Yna trodd y prifathro ac edrych ar Llion.

"Llŷr . . . "

"Ia, syr," atebodd Llŷr a eisteddai wrth ymyl ei frawd.

"O ia, ti ydi Llŷr wrth gwrs.

"Ia, syr."

"A ti ydi Llion."

"Ia, syr."

Chwarddodd pawb.

"Dwi byth yn gallu dweud y gwahaniaeth."

"Na, syr," atebodd yr efeilliaid ar union yr un pryd.

Roedd ymron pawb yn cael trafferth i ddweud y gwahaniaeth rhyngddyn nhw – heblaw, wrth gwrs, am eu rhieni a'u ffrindiau agos. Yn rhyfedd iawn doedd y rheiny byth yn gwneud camgymeriad.

"Wel, y *ddau* ohonoch chi. Dwi am ichi ofalu am Robert os gwelwch yn dda. Mae'n debyg fod Robert yn adnabod eich tad."

"Mae Dad yn peintio'u tŷ nhw, syr," atebodd Llion.

"Iawn, felly wnewch chi edrych ar ei ôl?"

"Gwnawn, syr," atebodd y ddau.

"Diolch yn fawr a chofiwch eich bod yn ei helpu i ddysgu Cymraeg oherwydd mae'i rieni yn awyddus iawn iddo ddysgu siarad Cymraeg, ac mi fydd o'n gallu helpu chi hefo'ch Ffrangeg. Diolch, Mr Williams." Ac aeth y prifathro allan.

Gwnaeth y ddau frawd le iddo ac eisteddodd Robert rhyngddynt am weddill y wers.

Amser egwyl, Robert oedd canolbwynt y sylw ac roedd yna lawer o holi am ardal Toulouse ac a oedd o'n hoffi rygbi.

Na, doedd Robert ddim yn byw ar fferm ond, oedd, roedd Robert wedi gweld Toulouse yn chwarae yn erbyn y Scarlets ac yn eu curo. Roedd yntau wedi gobeithio chwarae i Toulouse rhyw ddiwrnod hefyd ond doedd hynny ddim yn debygol rŵan a'i dad wedi penderfynu symud y teulu gannoedd o filltiroedd i ffwrdd. Milltiroedd oddi wrth ei ffrindiau i gyd. Roedd tristwch yn ei lygaid.

"Beth am ddod i ymarfer gyda'r Cenawon?" awgrymodd Combein, gan deimlo trueni drosto.

"Cen . . . ?" holodd Robert.

"Cenawon. Tîm ieuenctid y clwb rygbi lleol," eglurodd Llion. "Ein tad ni ydi'r hyfforddwr."

"O ie, mi soniodd wrtha i am y tîm roedd e yn ei hyfforddi."

"Beth am ddod aton ni nos fory?" gofynnodd Geraint.

"Dydan ni ddim cystal â Toulouse, ond mi rydan ni'n cael llawer o hwyl," ychwanegodd Arthur yn ei lais dwfn, pwyllog.

"Iawn. Mi ddo i, os na fydd gormod o waith cartref, wrth gwrs."

"Paid â phoeni am hwnnw," meddai Tractor. "Dydan ni ddim."

"Iawn," chwarddodd Robert. "Mi ddo i. Faint o'r gloch?"

"Chwech o'r gloch. Mi rydan ni'n ymarfer ar gae y Nant dan y llifoleuada."

"Iawn, chwech o'r gloch amdani felly."

"Grêt," meddai Geraint.

"Mi alwn ni amdanat ti," meddai Llion.

"Diolch."

"Robert?" gofynnodd Tractor.

"Ia?"

"Ydi pawb yn siarad Saesneg efo acen ryfedd fel ti yn Ffrainc?"

"O, Tractor . . . " dechreuodd Llŷr, yn synnu at hyfdra ei ffrind.

"Ydyn, Trrractorrr," atebodd y Ffrancwr fel bwled. "Ac ydi pawb yn siarad Saesneg efo acen ryfedd fel ti yng Nghymru?" gofynnodd Robert.

Chwarddodd pawb.

* * *

Am chwarter i chwech nos Fawrth neidiodd yr efeilliaid i gar eu tad ac i ffwrdd â nhw am yr ymarfer gan alw am Robert ar eu ffordd yno.

Druan o Robert, oherwydd doedd yr ymarfer y noson honno ddim yr un gorau i ddod iddo fel ei un cyntaf. Roedd yr awyrgylch yn ofnadwy.

I ddechrau, rhoddodd Ifor Madog y newyddion drwg iddynt am y gêm yn erbyn Morloi Abermoresg. Roedd wedi cysylltu â hyfforddwr y Morloi i weld a oedd hi'n bosibl newid y dyddiad ond, yn ôl y disgwyl, heb gael unrhyw lwc. Roedd pedwar o'r Morloi wedi eu dewis ar gyfer treialon y sir hefyd ond roedden nhw'n bwriadu defnyddio chwaraewyr arall o'u sgwad i lenwi'r bwlch.

Sgwad! Roedd hi'n anodd i'r Cenawon godi tîm heb sôn am gael sgwad.

"Dwi'n credu y dylen ni ganslo'r gêm," meddai Combein.

"Dwi ddim," meddai Arthur, "achos petai Geraint a'r efeilliaid yn sâl mi fasan ni'n gorfod chwara hebddyn nhw. Felly beth ydi'r gwahaniaeth?"

"Ond dydyn nhw ddim yn sâl nac 'dyn, y twpsyn!" gwaeddodd Combein.

"Pwy wyt ti'n alw'n dwpsyn? Ti ydi'r twpsyn, Combein."

"Rŵan rŵan," rhybuddiodd Ifor Madog.

"Awn ni ddim i'r treialon. Mae'r Cenawon yn dŵad gyntaf," meddai Geraint ar draws y gweiddi.

"Na," meddai Ifor Madog yn dawel. "Mae'n rhaid ichi fynd i'r treialon."

"Mae Geraint yn iawn, Dad, mae'r Cenawon yn bwysicach," mentrodd Llion.

"Na, mae cael eich dewis i'r sir yn rhoi cyfle ichi gael mwy o hyfforddiant na alla i ei roi ichi. Mae'n rhaid ichi fynd i'r treialon," meddai Ifor Madog yn bendant, ond doedd e ddim yn ddyn hapus.

"Dewch!" gwaeddodd. "Ychydig o ymestyn y breichia a'r coesa 'na i ddechra, fechgyn, i gynhesu a chael y cyhyra'n barod i ymarfer."

Dilynodd y bechgyn ei gyfarwyddiadau er fod calonnau Llion, Geraint a Llŷr yn go drwm.

"Iawn, rhedeg ddwywaith o gwmpas y cae os gwelwch yn dda. A dim rasio, Combein."

Dilynwyd hynny gan ymarferion sgwâr. Rhedeg mewn llinell letraws a thaflu pêl yr un pryd. Sylwodd y bechgyn ac Ifor fod Robert yn gallu trafod y bêl yn dda a'i fod yn symud yn llyfn. Ar ôl ymarfer gyda'r bagiau taclo gorffennwyd yr ymarfer yn y ffordd arferol gyda gêm saith-bob-ochr.

Roedd y criw wrth eu bodd bob amser yn chwarae'r gêm saith-bob-ochr gan ei bod hi'n gyflym ac yn rhoi cyfle iddyn nhw geisio ochrgamu ei ffrindiau. Ond y noson arbennig honno, doedd un o'u plith ddim mor hapus â'r gweddill. Roedd Llŷr yn dawel iawn yn yr ystafell newid y noson honno. Nid yn unig roedd busnes y treialon yn ei boeni, roedd hefyd wedi gweld pa mor dda roedd Robert yn trin y bêl ac yn ochrgamu. Teimlai'n sicr mai'r Ffrancwr fyddai'r dewis cyntaf ar gyfer safle'r maswr o hyn ymlaen. A phetai hynny'n digwydd yna byddai'r bartneriaeth rhyngddo ef a'i frawd Llion yn dod i ben. A hynny mor fuan wedi sefydlu'r bartneriaeth!

5. Cerdyn melyn

Wedi cyrraedd adref o'r ymarfer a chael ail swper roedd problem arall yn wynebu'r brodyr, sef penderfynu p'run ai chwarae gyda'r gêm newydd Playstation 2 rygbi a brynwyd iddynt gan Tad-cu a Mam-gu ynteu gwneud gwaith cartref Tomos Test Tiwb.

Gwnaeth y ddau ddim treulio llawer o amser yn pendroni dros y broblem fach honno, a'r gêm enillodd.

A Llion enillodd y gêm. Deirgwaith. Dim ond wedi iddyn nhw orffen y drydedd gêm y cofiodd Llion am y gwaith cartref ond roedd hi wedi deg o'r gloch erbyn hynny.

"Paid â phoeni," meddai Llŷr. "Mi gawn ni fenthyg y gwaith gan un o'r merched ar y bws bore fory."

"Megan ti'n feddwl?" holodd Llion, yn cael gwaith cuddio'i wên.

"Bosib," atebodd Llŷr gan roi pwniad i'w frawd.

"Be wnes i?" holodd Llion yn ddiniwed.

"Gwenu'n sbeitlyd, dyna be."

"Doeddwn i ddim yn sbeitlyd o gwbl. Hapus oeddwn i."

"O, ia," atebodd Llŷr heb gredu gair.

"Ia, hapus fod gan fy annwyl frawd gariad mor glyfar," meddai Llion, gan redeg i'r stafell molchi a chloi'r drws cyn i'w frawd afael ynddo.

"Mi ga i di, y sglyfath!" gwaeddodd Llŷr.

"Ewch i'r gwely a chysgwch neu mi fyddwch chi'n siŵr o golli'r bws 'na bore fory," gwaeddodd eu mam o'r ystafell fyw.

Gwenodd Llŷr.

* * *

Synnodd eu mam pa mor brydlon y cododd yr efeilliaid drannoeth.

Tybed a oedd ei phregethau boreol ynglŷn â cholli'r bws yn cael effaith o'r diwedd? meddyliodd.

Doedd hi ddim yn gwybod, wrth gwrs, fod gwaith cartref Gwyddoniaeth i'w roi i mewn y bore hwnnw ac nad oedd y gwaith wedi'i wneud. Byddai wedi mynd yn bananas petai'n gwybod hynny. Ond, chwarae teg, rhwng chwarae rygbi i'r ysgol, chwarae i'r Cenawon, ymarferion a phethau pwysig eraill fel ceisio curo'i gilydd mewn gêmau cyfrifiadurol roedd hi'n anodd i'r brodyr gael amser i wneud gwaith cartref hefyd.

Roedd y ddau wrth arhosfan y bws ymhell cyn iddo gyrraedd y bore hwnnw, a'r ddau'n gweddïo y byddai Megan ar y bws ac yn fodlon rhoi benthyg ei gwaith iddynt.

"Mae un peth yn wir, Llŷr."

"Beth?"

"Mi fyddi di'n gwybod faint mae hi'n dy licio di ar ôl heddiw," atebodd Llion.

"Wyt ti isio benthyg y gwaith ar fy ôl i?"

"Wrth gwrs. Plîs."

"Wel cau hi ta!"

Pan gyrhaeddodd y bws aeth Llŷr yn syth at sedd Megan. Dechreuodd Combein a gweddill y bechgyn chwibanu ond tawelodd y criw pan welson nhw Llion yn gwneud ystumiau arnyn nhw.

"Ydach chi wedi gwneud gwaith cartra Tomos Test Tiwb?" gofynnodd wrth eistedd.

"Pa waith cartra?" oedd ymateb Tractor.

"Mam bach!" oedd ymateb llawn panig Geraint.

"Cachu buwch!" ebychodd Combein.

"Pa waith cartra?" holodd Tractor eto.

"Y gwaith cartra osododd hi yn y wers y collon ni pan oeddan ni'n chwara yn erbyn Ysgol Rhyd-y-meirch, siŵr," eglurodd Llion yn bwyllog.

"Damia, mi lladdith hi ni," meddai Tractor.

"Neu mi fydd y wrach yn creu concocsiwn yn un o'i thest tiwbs i'n melltithio ni i gyd," meddai Combein.

".Ia, fel na fyddwn ni ddim yn gallu chwara rygbi byth eto," cynigiodd Arthur.

"Byddwch dawel am funud a gwrandwch, hogia.

Dydi hi ddim ar ben arnon ni achos dyna pam mae Llŷr yn cael sgwrs efo Megan."

"O?"

"Ia, mae o am geisio perswadio Megan i roi benthyg ei gwaith iddo fo ac wedyn mater bach fydd i ni gael benthyg y gwaith oddi wrth . . . "

"Dach chi'n dallt rŵan? Cydchwara ar y cae a chydhelpu efo gwaith cartra. Os mêts, mêts," eglurodd Llion.

"Tres bian, fel 'sa Robert yn ei ddeud," meddai Combein.

"Ia, a neb i feiddio tynnu ei goes pan ddaw o aton ni, iawn. Ti'n dallt, Tractor."

"Pam edrach arna i. Ddeuda i ddim byd, siŵr."

Yn anffodus i'r criw, roedd clustiau moch bach yn gwrando. Wel, clustiau Angharad, sef ffrind Megan i fod yn fanwl gywir.

Pan ddaeth Llŷr i gefn y bws o'r diwedd bu prysurdeb mawr: Llŷr yn copïo gwaith Megan, Llion yn copïo gwaith Llŷr, Combein yn copïo gwaith Llion, Tractor yn copïo gwaith Combein, Arthur yn copïo gwaith Tractor a Geraint yn copïo gwaith Arthur.

"Peidiwch â chopïo air am air, cofiwch," siarsiodd Llion, "rhag ofn i Test Tiwb sylweddoli ein bod ni wedi copïo."

"Iawn," cytunodd pawb, ond mae hi'n anodd copïo'n greadigol dan bwysau.

Doedd yr amgylchiadau ddim yn berffaith o bell

ffordd. I ddechrau, roedd pawb ar ben ei gilydd fel sgrym ac yna pob tro y byddai'r bws yn mynd rownd cornel neu aros yn sydyn byddai'r ysgrifen yn mynd oddi ar y dudalen. Ond roedd unrhyw beth yn well na dim gwaith cartref o gwbl a gorfod wynebu lach Tomos Test Tiwb.

Gwgai Angharad arnyn nhw.

"Ti'n ffŵl," meddai wrth Megan.

Rhoddwyd ochenaid o ryddhad wrth gyrraedd yr ysgol a'r gwaith wedi ei gwblhau. Wnaethon nhw ddim meddwl am eiliad y byddai'r cynllun yn methu. Yn anffodus, dydy athrawon ddim yn dwp. Fel y dywedodd Tractor rai dyddiau'n ddiweddarach, "Fasa hi ddim yn athrawes petai hi'n dwp, fasa hi?"

Dim ond ychydig funudau gymerodd hi i Miss Tomos ddarganfod y cynllwyn. Yn anffodus, roedd Megan wedi gwneud dau gamgymeriad annisgwyl iawn iddi hi a phan ymddangosodd yr un camgymeriadau mewn gwaith arall dechreuodd yr amheuon godi ym mhen Miss Tomos, a phan welodd hi'r un camgymeriadau am y chweched tro doedd dim angen i'r athrawes fod yn Sherlock Holmes i sylweddoli fod drygioni ar droed.

Yn y wers gofrestru ddau ddiwrnod yn ddiweddarach derbyniodd Megan neges i fynd i weld Miss Tomos Gwyddoniaeth yn syth ar fater difrifol.

Edrychodd y bechgyn ar ei gilydd. Ar y ffordd

allan o'r wers gofrestru anelodd Angharad yn syth am Llŷr.

"Dy fai di ydi hyn, Llŷr Madog. Faswn *i* ddim wedi rhoi fy ngwaith i iti. Rhag dy gywilydd di yn defnyddio'r ffaith fod Megan yn dy ffansïo di i'w pherswadio hi i dy helpu di efo'r gwaith cartra, a gwaeth na hynny yn rhoi ei fenthyg o wedyn i'r criw yma. Typical hogyn!"

Roedd Llŷr yn teimlo'n ofnadwy o euog ar ôl cael ei lambastio gan Angharad.

Aeth i chwilio am Megan a'i chyfarfod wrth iddi ddod allan o'r stafell wyddoniaeth.

Roedd hi'n crio.

"Mae'n ddrwg gen i, Megan . . . " dechreuodd Llŷr ddweud ond aeth Megan heibio heb ddweud dim.

Yn ystod y wers nesaf daeth neges oddi wrth Miss Tomos i ddweud ei bod hi am weld y chwech yn syth ar ôl iddyn nhw gael eu cinio.

"Ond mae ymarfer rygbi amser cinio," meddai Arthur.

"Mae'n well i ni fynd," meddai Llŷr. "Bydd rhaid i un o'r lleill egluro i Prydderch."

Yn syth wedi cinio aeth y bechgyn i weld Miss Tomos.

Roedd yr athrawes yn gynddeiriog. Ceisiodd Llŷr achub cam Megan a dweud mai arno fo oedd y bai i gyd ond doedd hi ddim yn fodlon gwrando. Byddai'n rhaid i Megan hefyd dderbyn ei chosb oherwydd roedd rhaid iddi ddysgu fod rhoi benthyg gwaith i eraill yn anonest. A byddai'n rhaid i bob un o'r bechgyn dderbyn eu cosb.

"Rydw i wedi dweud wrth eich Pennaeth Blwyddyn yn barod ac mae'n cytuno â mi bod rhaid ichi ddysgu gwers. Mae wedi cytuno hefyd gyda'm syniad i o sut i helpu chi i ddysgu'ch gwers," meddai.

Beth oedd y syniad yma? meddyliodd y bechgyn yn betrus. Am funud ofnodd Combein fod ei broffwydoliaeth am goncocsiwn mewn test tiwb yn mynd i ddod yn wir. Buan y clywsant fod ganddi goncocsiwn chwerw a chas iawn iddynt.

"Os na alla i eich perswadio chi fod yn rhaid rhoi llawer llai o sylw i'r gêm wirion yna lle mae dynion yn cicio a rhedeg ar ôl pêl ddi-siâp a rhoi mwy o sylw i waith ysgol yna does dim dewis ond rhoi stop ar y chwarae."

"Ym . . . beth yn union ydych chi'n olygu wrth 'stop', miss?" holodd Llion yn betrus.

"Stopio, Llion Madog, atal, rhwystro, blocio, nadu, neu mewn iaith rygbi rydw i'n rhoi'r cerdyn melyn ichi a'ch rhoi yn y cell callio. Mi faswn i wedi hoffi rhoi'r cerdyn coch ichi a'ch anfon oddi ar y cae am y tymor ond ches i ddim fy ffordd. Ond ta beth, fyddwch chi ddim yn croesi'r llinell fantais am rai wythnosau beth bynnag."

"Y?" meddai'r bechgyn i gyd fel côr llefaru.

"Mae'r Pennaeth Blwyddyn wedi cytuno â mi y

dylech chi i gyd gael eich gwahardd rhag chwarae rygbi am y mis nesaf ac yn lle ymarfer amser cinio y byddwch chi'n ymuno â Megan yn fy labordy i wneud gwaith ychwanegol. Mae'n rhaid i Megan hefyd ddeall nad yw anonestrwydd yn talu. Yr hyn sy'n rhaid i chithau sylweddoli ydi mai gwaith ysgol ddaw â gwaith ichi ar ôl gadael yr ysgol nid rhedeg ar ôl pêl siâp wy!" ychwanegodd yn filain.

"Beth?" meddai'r chwech gyda'i gilydd eto.

"Ac . . . "

Daliodd y bechgyn eu gwynt, yn ofni beth allai ddod nesaf.

" . . . mi fydda i'n gofyn i'ch tad eich gwahardd rhag chwarae i'r Cenawon hefyd. Fo sy'n eich hyfforddi, yntê?"

"Ie, miss," atebodd Llion yn llipa.

"Wel, mi fydda i'n cael gair efo fo'n fuan. Iawn, dyna'r cyfan. Ffwrdd â chi."

Aeth y bechgyn allan o'r stafell mewn tipyn o sioc.

"Dyna'r cyfan, myn tatan!" meddai Combein wedi iddo ddod ato'i hun.

Dim chwarae rygbi. Dim treialon. Dim Cenawon.

"Wel, does dim rhaid i ni boeni am ddewis rhwng y Cenawon a'r treialon erbyn hyn," meddai Llion wrth ei frawd, ond roedd hwnnw'n dawel ac yn synfyfyrio.

"Beth sy'n bod, Llŷr?" holodd Llion.

"Rhyfedd . . . " atebodd.

"Rhyfedd? Beth sy'n rhyfedd, felly?" gofynnodd Llion.

"Wel, rhyfedd fod Tomos Test Tiwb, er ei bod hi'n galw rygbi'n wirion a'r bêl yn wy, ei bod hi'n gwybod am gardiau melyn a choch, am gell callio, am linell fantais ac mai Dad ydi hyfforddwr y Cenawon."

"Ym. Ia. Ydi, mae hynny'n rhyfedd," cytunodd Llion.

6. "Sori, miss . . . "

Bu'n rhaid i'r criw fynd i weld y Pennaeth Blwyddyn ac roedd yntau'n gorfod cytuno â Miss Tomos oherwydd roedden nhw wedi gwneud "drygioni mawr". Roedden nhw wedi ceisio twyllo Miss Tomos ac roedd yn rhaid eu cosbi am hynny. Ac er ei fod yn deall fod rygbi'n bwysig iddyn nhw, roedd gwaith ysgol yn bwysicach fyth.

"Dyn pêl-droed ydi o, dyna pam mae o'n cefnogi Test Tiwb. Dydi o ddim yn licio rygbi," oedd barn Combein.

"Na, mae'n rhaid iddyn nhw gadw efo'i gilydd siŵr. Os mêts, mêts," oedd barn Tractor.

"Ond mae o'n iawn," meddai Llŷr.

"Y?"

"Dylen ni ddim fod wedi ceisio'i thwyllo hi."

"Wyt ti'n mynd yn wirion neu be?" gofynnodd Geraint.

"A ddylwn i ddim fod wedi achosi trafferth i Megan chwaith."

"A! Dyna beth sy'n dy boeni di. Achosi trafferth i Megan."

"Drychwch. Beth am fynd at Jones Ymarfer Corff a Prydderch. Dwi'n siŵr y gwnân nhw ddadla'n hachos ni," awgrymodd Peth Dannedd.

A dyna wnaethon nhw. Ond chawson nhw fawr o lwc. Addawodd Mr Jones gael gair ar eu rhan gyda Miss Tomos ond nid oedd yn obeithiol iawn.

"Sawl gwaith ydw i wedi dweud wrthoch chi am ofalu gwneud eich gwaith os ydach chi'n colli gwersi?"

A doedd ymateb Mr Prydderch yn fawr gwell. "Mae Miss Tomos wedi cael siom fawr ynddoch chi ac alla i ddim mynd yn erbyn ei phenderfyniad. Dylech chi fod wedi gwneud y gwaith ac wedyn fydda 'na ddim problem."

Roedd pethau'n edrych yn dywyll iawn.

Penderfynodd y brodyr y byddai'n rhaid dweud wrth eu rhieni yn syth wedi i'r ddau ddod adre o'u gwaith, cyn i Tomos Test Tiwb gael cyfle i ffonio'u tad. Roedd yn well ei fod o'n clywed y newyddion drwg oddi wrthyn nhw'n gyntaf.

Prin y cafodd Ifor a Nia Madog gyfle i dynnu eu cotiau cyn i'r efeilliaid adrodd yr holl helynt.

" . . . Ac mae hi'n mynd i dy ffonio di, Dad, i ofyn iti beidio gadael i ni chwara i'r Cenawon hefyd," esboniodd Llion.

"Syniad da iawn," meddai eu mam.

"Ma . . . aaam," cwynodd Llŷr.

"Ma . . . aaam!" meddai Gwenllian fel carreg ateb ar ei ôl.

"Sawl gwaith ydw i wedi dweud wrthoch chi fod gwaith ysgol i ddod yn gyntaf."

"Beth wyt ti'n mynd i wneud, Dad, pan fydd hi'n ffonio? Wyt ti'n mynd i gytuno efo hi?" gofynnodd Llion.

"Wn i ddim. Ga i weld."

"Does dim rhaid iti, Dad, dydi'r Cenawon ddim byd i wneud â'r ysgol," plediodd Llŷr.

"Bydd rhaid iti, Ifor," awgrymodd Nia Madog.

"Mae'n ddrwg gen i, fechgyn, ond alla i ddim mynd yn erbyn yr ysgol. Falla na wnaiff hi ddim ffonio. Wnaethoch chi ymddiheuro wrthi?"

"Do," atebodd y ddau gyda'i gilydd.

"Ymddiheuro'n iawn felly? Deud bod yn wir ddrwg gynnoch chi, nid rhyw esgus ymddiheuro?"

"Wel, chawson ni fawr o gyfle," meddai Llion.

"Wel gwnewch hynny eto fory a dweud y byddwch chi'n rhoi sylw arbennig i Wyddoniaeth o hyn ymlaen," awgrymodd eu Mam.

A dyna roddodd y syniad i Llŷr. Ac ar ôl swper rhoddodd ei gynllun ar waith.

Yn gyntaf, holodd ei frawd faint o arian oedd ganddo yn ei gadw-mi-gei. Tair punt. Roedd newydd lenwi ei ffôn symudol. Roedd ganddo yntau ychydig bunnoedd. Dim llawer, ond roedd yn gychwyn o leiaf. Yna ffoniodd y pedwar bachgen arall a dweud wrthyn nhw am ddod ag o leiaf ddwy bunt efo nhw i'r ysgol fore trannoeth.

* * *

Er i Llŷr ddal llygad Megan ar y bws drannoeth, troi ei phen ac edrych drwy'r ffenest wnaeth hi. Ond yna daliodd hi'n edrych yn ôl arno.

Pan gyrhaeddodd Llŷr gefn y bws dechreuodd gasglu'r arian. Ymhen dim o amser roedd ganddo ugain punt yn ei law i roi ei gynllun ar waith.

Ar ddiwedd sesiwn y bore diflannodd Llŷr ac aeth y gweddill am eu cinio hebddo.

Er i'r pump aros am Llŷr nes i'r gloch ganu bu'n rhaid iddyn nhw benderfynu mynd hebddo i labordy Miss Tomos i ddioddef eu cosb. Roedd Megan yno'n barod ond doedd dim golwg o Llŷr.

"A ble mae dy frawd, Llion Madog?" gofynnnodd yr athrawes. Roedd Llion ar fin dweud nad oedd yn gwybod pan agorodd y drws a daeth ei frawd i mewn yn dal y tusw mwyaf o flodau a welsoch yn eich bywyd a dau focs o siocledi.

"Beth ar y ddaear . . . ?"

"I chi, Miss, i ymddiheuro am bob dim," meddai Llŷr, gan roi'r blodau ac un bocs o siocledi iddi. "Mae'n wir ddrwg gynnon ni."

"Ia, sori, Miss," meddai Tractor.

"Ac mae hwn i ti," meddai Llŷr gan roi'r bocs arall i Megan, "i ddangos pa mor ddrwg gynnon ni am achosi trafferth iti."

"Wel, dwn i ddim beth i'w ddweud. Diolch," meddai Miss Tomos.

"Ydi, mae'n wir ddrwg gynnon ni," meddai

Llion. "Wnawn ni ddim gwneud dim byd tebyg eto."

"Na, byth," ychwanegodd Tractor.

"Mae'n wir ddrwg gen i, Megan," meddai Llŷr.

"Diolch," atebodd Megan yn dawel.

"Ond peidiwch meddwl am funud y bydda i'n newid fy meddwl," rhybuddiodd Miss Tomos.

"Na, miss," meddai'r criw fel côr llefaru.

"Na, dydan ni ddim yn disgwyl ichi wneud hynny," meddai Llŷr. Ond roedden nhw *yn* gobeithio y byddai hi'n newid ei meddwl, wrth gwrs.

Pylu wnaeth y gobaith hwnnw yn ystod y dydd a bu ffonau pob un ohonynt yn boeth ar ôl ysgol y noson honno.

"Gobeithio y gwneith hi dagu ar y siocledi!" oedd sylw Tractor ar y mater. Er i Llŷr chwerthin, teimlai'n ddigalon fod ei gynllun wedi methu'n llwyr.

Pan alwodd y Pennaeth Blwyddyn y criw ato drannoeth, mwy o gosb roedden nhw'n ei ddisgwyl.

"Wn i ddim beth wnaethoch chi iddi newid ei meddwl," meddai'r athro. "Ond mae Miss Tomos wedi penderfynu fod y gosb yn rhy llym. Mae hi am imi dynnu'r gwaharddiad oddi arnoch chi. Ar un amod. Eich bod chi'n gwneud eich gwaith cartref Gwyddoniaeth yn brydlon o hyn ymlaen ac ar eich pennau'ch hunain wrth gwrs. Dydw i ddim yn deall y peth o gwbl."

Roedd pawb wedi synnu gormod i ymateb i ddechrau. Geraint oedd y cyntaf i ddarganfod ei dafod. "Iawn, syr. Na, syr. Diolch, syr."

Gallent fod wedi mynd yn syth i labordy Miss Tomos i roi cusan enfawr iddi. Ond penderfynon nhw beidio.

"Wnawn ni adael i Llŷr roi sws i Megan yn lle hynny," meddai Geraint cyn cael cic yn ei ben-ôl gan faswr y Cenawon.

* * *

Roedd y brodyr yn ysu am gael rhoi'r newyddion da i'w tad pan gyrhaeddodd adref. Ac roedd ganddo yntau newyddion da iddyn nhw.

"Dwi'n falch fod Miss Tomos wedi newid ei meddwl achos mi ges i alwad ffôn oddi wrth hyfforddwr Abermoresg heddiw a doeddwn i ddim yn gwybod beth i ddweud wrtho."

"Beth oedd y sinach yna isio?" holodd Llion.

"Maen nhw'n fodlon symud y gêm i nos Wener os ydi'r clwb yn fodlon gadael i ni chwara dan y goleuada."

"Wyt ti'n meddwl y gwnân nhw?" holodd Llŷr.

Gwenodd eu tad. "Ydyn, mae'n nhw. Mi ffonis i'r cadeirydd yn syth a dydi o ddim yn gweld pam lai. Yr unig beth ydi . . . "

"Beth?"

"Ydach chi'n meddwl y gallwch chi chwara gêm

galed yn erbyn Abermoresg ar y nos Wener ac yna chwara mewn treialon y Sir y bore wedyn?"

"Wrth gwrs y gallwn ni," atebodd yr efeilliaid.

"Mi ffonia i Abermoresg yn y bore felly."

Cael chwarae yn y treialon *a* chael chwarae i'r Cenawon – a hynny dan y goleuadau; wrth gwrs y gallen nhw!

7. Cadw'r meddiant

Cafwyd dau sesiwn ymarfer cyn y gêm gwpan ac yn anffodus i Llŷr roedd Robert wedi serennu yn ystod y ddau. Erbyn y nos Wener roedd Llŷr yn dechrau poeni y byddai'n colli ei le fel maswr tîm Cenawon Nant Cadno, a gwyddai Llion hynny. Mae efeilliaid yn deall ei gilydd i'r dim.

Ar y ffordd i'r gêm penderfynodd Llion daclo ei dad ynglŷn â'r peth.

"Wyt ti ddim am roi Robert yn safle'r maswr wyt ti, Dad?" holodd yn blwmp ac yn blaen.

Roedd yna eiliad neu ddwy o dawelwch. Croesodd Llion ei fysedd.

Edrychai Llŷr ar lawr y car fel petai erioed wedi ei weld o'r blaen.

"Wel, fel dwi wedi dweud o'r blaen," meddai Ifor Madog, "does neb yn cael ei ddewis yn otomatig ac yn gallu hawlio ei safle."

Mwy o dawelwch.

"Ond . . . dwi am roi Robert yn y canol heno i ddechra, beth bynnag, er mwyn i Combein edrych ar ei ôl. Gawn ni weld sut fydd y gêm yn mynd ar yr hanner. Falla y newidia i betha wedyn."

Gwasgodd Llion fraich ei frawd yn ysgafn i'w gysuro. Roedd y ddau'n gobeithio y deuai cyfle iddynt brofi mor dda oedd eu partneriaeth.

Pan gyrhaeddon nhw'r clwb roedd Robert wrthi'n gwneud ymarferion cynhesu yn y maes parcio.

"Iesgob, mae pobl Toulouse yn cymryd eu rygbi o ddifri yn tydyn?" meddai Llion gan chwerthin.

Pen bach! meddyliodd Llŷr, ond cadwodd ei deimladau iddo ef ei hunan.

"Da iawn fo, a gofalwch chitha fod o ddifri hefyd," meddai Ifor Madog, "oherwydd, dach chi'n cofio beth alwodd hyfforddwr Abermoresg Genawon Nant Cadno y tro diwetha yn tydach?"

"Tramps!" atebodd Llion.

"Yn hollol, tramps. Felly mae'n rhaid i ni beidio rhoi cyfle i'r prifathro bach pwysig gael dweud rhywbeth tebyg eto heno. A dwi *yn* gobeithio y bydd pawb wedi dod â'u dillad a'u sgidia y tro hwn."

"Mi fyddan nhw, Dad, a phaid â phoeni, mi rydan ni'n barod amdanyn nhw," meddai Llion mewn llais penderfynol.

Arweiniodd y ddau frawd Robert i'r ystafell newid. Sylwodd Llion fod ei frawd yn anarferol o dawel a gwyddai mai presenoldeb y Ffrancwr oedd y rheswm am hynny.

Ymhen chwarter awr roedd pawb yn barod i

wynebu'r gelyn. Roedd pawb wedi newid ac Ifor wedi rhoi'r cyfarwyddiadau olaf iddyn nhw. Rhedodd y Cenawon ar y cae a dechrau cynhesu, ystwytho'r corff a thaflu peli at ei gilydd. Gofalodd Llŷr beidio â thaflu pêl at Robert.

Yna ffurfiodd y tîm gylch a gafael yn ei gilydd a stampio'r llawr cyn gweiddi mewn un llais, "Cenawon, cenawon, cenawon, **CENAWON!**"

"Pwy maen nhw'n feddwl ydyn nhw, y Crysau Duon?" gofynnodd hyfforddwr Abermoresg yn sbeitlyd wrth iddo arwain ei Forloi i'r cae.

"Na, dim o gwbl. Criw o dramps, dyna i gyd," atebodd Ifor.

Y Cenawon enillodd y cyfle i ddechrau'r gêm ac wrth i Llŷr osod y bêl roedd yn gallu gweld Robert o gornel ei lygad yn sefyll yn eiddgar fel ceffyl rasio ar gychwyn ras. Cadw'r meddiant fydd y dacteg heno meddyliodd Llŷr, yn enwedig oddi wrth hwnna o Toulouse.

Ciciodd y bêl yn uchel a syrthiodd y tu ôl i fechgyn Abermoresg ond roedd hi braidd yn agos i'r ystlys. Heidiodd pac y Cenawon yno'n gyflym a Mor-Mor oedd y cyntaf ohonyn nhw. Llwyddodd hwnnw i ddal y bêl cyn iddi groesi'r llinell. Wrth iddo godi'r bêl gallai deimlo cysgod cefnwr Abermoresg yn cau amdano. Ochrgamodd ac roedd y cefnwr ar ei fol dros yr ystlys. Brasgamodd Mor-Mor at ddwy ar hugain Abermoresg ac roedd ar fin croesi'r llinell pan deimlodd ddwylo'n gafael am ei ganol. Teimlai ei goesau yn gwanio oddi tano ond llwyddodd rywsut i sefyll ar ei draed. Trodd ac roedd yn falch o weld ei gyd-Genawon yn cau amdano.

Gosodwyd y bêl yn ôl ac roedd Llion yno i'w chasglu a'i phasio'n ddiogel i ddwylo ei frawd. Aeth Llŷr trwy fwlch a chlywodd lais Robert y tu ôl iddo yn gweiddi arno i basio'r bêl, ffugiodd basio gan dwyllo cefnwr y Morloi a chroesi am gais.

Roedd cefnogwyr y Cenawon yn mynd yn wyllt ar yr ystlys a phawb yn meddwl bod y ffug bàs yn dacteg ardderchog. Pawb ond Robert. Roedd ef a Llŷr yn gwybod yn iawn beth oedd amcan y dacteg.

"Cymer dy amser, Llŷr!" gwaeddodd Ifor Madog ar ei fab wrth iddo osod y bêl i drosi'r cais.

Saethodd y bêl yn syth drwy ganol y pyst. Doedd hi ddim mor rhwydd o hynny ymlaen. Roedd pac y Morloi'n gryf ac yn llwyddo i gael llawer o feddiant ond roedd amddiffyn y Cenawon yn ddigon cryf i'w cadw o'u llinell. Yn anffodus ildiodd Tractor gic gosb bron ar yr egwyl pan loriodd un o ganolwyr y Morloi gyda thacl uchel.

"Mae'n ddrwg gen i, reff," meddai Tractor, "roeddwn i'n meddwl ei fod o'n dalach."

"Un tacl fel yna eto neu trio bod yn glyfar efo fi ac mi fyddi di oddi ar y cae am weddill y gêm, ti'n dallt?"

"Ydw, reff."

Penderfynodd Ifor Madog gadw pawb yn yr un

safle wedi'r egwyl rhag troi'r cwch ac roedd hi'n parhau'n dynn hyd at ganol yr ail hanner. Bryd hynny rhoddodd cefnwr y Morloi gic anferth i lawr yn ddwfn i hanner y Cenawon dros ben Dilwyn Dau Funud, cefnwr y Cenawon. Roedd Dilwyn yn hwyr yn cyrraedd bob man bob amser heblaw pan fyddai ar gae rygbi. Rhedodd yn ôl fel mellten a chydio yn y bêl wrth iddi fownsio oddi ar wyneb y cae caled. Roedd ar ei ddwy ar hugain ei hunan. Trodd a phenderfynu rhedeg tuag at y llu o Forloi oedd yn carlamu amdano. Ceisiodd ochrgamu ond aeth i mewn i wal o grysau glas a gwyn.

Erbyn hyn roedd Llŷr wedi cyrraedd a llwyddodd Dilwyn i ddadlwytho'r bêl iddo. Aeth Llŷr fel cyllell trwy'r cyrff a chroesi'r llinell hanner. Cyrhaeddodd Robert wrth ei ochr gan weiddi am y bêl.

Roedd Ifor Madog a gweddill y cefnogwyr hefyd yn sgrechian ar Llŷr i basio gan weld cefnwr y Morloi yn taranu amdano ond dyna'r peth olaf oedd ar feddwl y maswr. Roedd wedi llwyddo hyd yma i gadw'r Ffrancwr allan o'r gêm a doedd o ddim am roi'r meddiant iddo rŵan chwaith. Yn hytrach, ceisiodd ochrgamu'r cefnwr ond roedd y cefnwr wedi rhag-weld y symudiad a daeth taith Llŷr i ben gyda chlec o dacl.

Aeth y bêl yn rhydd a neidio'n wyllt dros yr ystlys.

"*Merde!*" rhegodd Robert yn gas.

"Pam? Pam? Pam peidio pasio? A Robert yn y tir agored!" gwaeddodd Ifor.

Anwybyddodd Llŷr gwestiwn ei dad er ei fod yn gwybod yr ateb ac roedd gweddill y tîm hefyd erbyn hyn yn deall beth oedd yn digwydd. Bu bron i gefnwr cyflym Abermoresg groesi am gais ym munud olaf y gêm a chipio'r fuddugoliaeth o afael y Cenawon ond yn ffodus llwyddodd Dilwyn Dau Funud i'w wthio dros yr ystlys.

"Da iawn chi," gwaeddodd Ifor wrth iddyn nhw ddod oddi ar y cae. "Gêm agos iawn ond mi ddalioch eich tir yn ardderchog."

"Doedd dim rhaid iddi fod mor agos," meddai Geraint gan edrych yn gas ar Llŷr, "petai ambell un ddim mor hunanol."

Roedd Llŷr ar fin ei ateb pan glywodd lais Mr Prydderch yr athro hanes yn gweiddi "Llongyfarchiadau!" ac yna llais cwbl annisgwyl yn gweiddi "Ie, da iawn chi, fechgyn."

Edrychodd y criw i gyd yn syn i gyfeiriad y llais. Na, doedden nhw ddim yn drysu yn eu blinder. Dyna lle roedd Tomos Test Tiwb yn chwifio'i llaw arnyn nhw ac roedd ei llaw arall yn cydio yn llaw Mr Prydderch.

"Dyna sut oedd hi'n gwybod gymaint am rygbi, felly," meddai Llion.

"Falla mai Prydderch ac nid y bloda a'r siocledi wnaeth y tric wedi'r cwbl!" chwarddodd Combein.

"Os ydi hynny'n wir falla y dylen ni ofyn

amdanyn nhw'n ôl," meddai Tractor.

Wrth iddo gerdded am yr ystafell newid trodd Robert at Llŷr a dweud *"égoïste!"* mewn llais digon annifyr. Er na wyddai Llŷr beth oedd ystyr y gair Ffrangeg gwyddai nad oedd Robert yn ei ganmol nac yn diolch iddo.

* * *

Cyn mynd i gysgu'r noson honno roedd gan Llŷr gwestiwn i'w frawd.

"Llion, oedd hi'n amlwg iawn 'mod i'n ceisio cadw Robert allan o'r gêm heno?"

"Oedd, Llŷr. Mae arna i ofn ei bod hi."

"Ond, dwyt ti ddim yn gweld bai arna i nag wyt ti?"

"Wel . . . na . . . ond . . . "

"Ond beth?"

"Paid â bod mor hunanol yn y treialon fory neu chei di mo dy ddewis."

"Ond fydd Robert ddim yno fory!"

"Bydd, mi fydd."

"Sut?" gofynnodd Llŷr yn syn.

"Mi glywis i Prydderch yn gofyn iddo heno ar ôl y gêm."

"Ond mae hynny'n amhosib. Dydi hyfforddwr y sir ddim wedi ei weld yn chwara."

"Mae Prydderch wedi ei weld ac mae hynny'n ddigon mae'n amlwg. Dydw i ddim yn dweud celwydd, Llŷr. Mi glywis i Prydderch yn gofyn iddo a oedd o'n rhydd yfory ac i ddod i'r ysgol erbyn naw o'r gloch."

"O na," meddai Llŷr.

"Paid â phoeni. Y cwbl sydd angen i ni wneud yn y treialon fory ydi dangos ein bod ni'n bartneriaeth. Mewnwr a maswr. Maneg a llaw. Wedyn, dau ddewis fydd, ti a fi."

"Gobeithio dy fod ti'n iawn. Gobeithio wir . . . "

Trowch y dudalen

i gael rhagor

o wybodaeth am

gyfres gyffrous

MEWNWR A MASWR

BRWYDR Y BRODYR

"Tramps! Dim byd gwell na thramps! Twrnament yw hwn, nid rhyw gêmau tylwyth teg."

Dyna beth ddywedodd hyfforddwr un o'r timoedd eraill yn y gystadleuaeth am Genawon Nant Cadno wrth i'w hyfforddwr newydd, Ifor Madog, baratoi'r bechgyn yn y stafell newid.

Ond ar ben y sarhad yna, mae pob dim arall hefyd yn mynd o chwith! Mae Llŷr, mab Ifor ac efaill Llion, wedi colli un hosan. Ond yn waeth na hynny, does dim sôn am bedwar aelod arall o'r tîm, ac felly mae'n rhaid i'r Cenawon ddechrau eu gêm gyntaf yn brin o ddau chwaraewr.

Bydd yn dipyn o frwydr i'r brodyr osgoi colli pob gêm a phrofi nad 'tramps' ydyn nhw.

Mae chwarae rygbi yn bopeth i'r efeilliaid Llion a Llŷr, a dyma'r stori gyntaf amdanyn nhw yn y gyfres Mewnwr a Maswr.

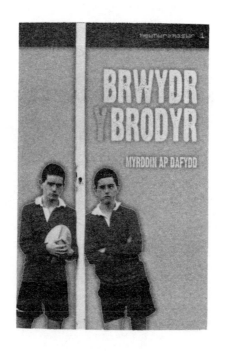

BRWYDR Y BRODYR

MYRDDIN AP DAFYDD

Dim ond £4.50

MEWNWR A MASWR 3

I DDOD

MAI 2005